KB171817

그대는 그렇게 시가 되었다

그대는 그렇게 시가 되었다

발 행 | 2024년 08월 08일
저 자 | 김한울
펴낸이 | 한건희
펴낸곳 | 주식회사 부크크
출판사등록 | 2014.07.15.(제2014-16호)
주 소 | 서울특별시 금천구 가산디지털1로 119 SK트윈타워 A동 305호
전 화 | 1670-8316
이메일 | info@bookk.co.kr

ISBN | 979-11-419-0003-8

www.bookk.co.kr
ⓒ 김한울 2024
본 책은 저작자의 지적 재산으로서 무단 전재와 복제를 금합니다.

그대는 그렇게 시가 되었다

나의 가장 오래된 미련이 그랬듯

김한울 시집

시인의 말

영원에 대해 생각한다.
그것이 추억으로 다가오는 방식을
다시 그것에게 다가가는 방법을

영원으로부터 멀어진 다음,
그다음 페이지다.

매사 진심이던 나를
무심코 문장 속에 던져놓는 일

여전히 부끄럽다.
완성된 시를 마주하는 것은
의심의 여지 없이 결집된 것들은

2024년 여름
김한울

차례

2부 - 그대는 그렇게 시가 되었다

1부

가난한 이들에게 힘겨운 계절

가난한 이들에게 힘겨운 계절

겨울은,
가난한 이들에게 힘겨운 계절이야.

선생님이 그러셨다

말없이 길을 걷다가
주머니를 뒤적였다

이번 겨울은 힘겨울까

정작 보이지 않는 가난은
발 뻗고 잠들기 전에야 나타난다

정오의 나는
그것을 까마득하게 잊고

눈밭에 간지러운 이름을 썼다
마음을 비워낸다
매번 다양한 이름으로

지난 유행

이제는 맞지 않는 옷에
억지로 몸을 끼워 넣었다

새삼 감탄했다
내가 이렇게나 작았구나
이번 봄에도 유행이구나

지난 것은 돌고 돈다
계절도 유행도
심지어 감기까지도

근데 왜 너는 아닌지
옷은 왜 자꾸 늘어나는지
지나가는 것조차 유행이라면

돌아오는 것은 왜 유행하지 않는지
영원은 끝없는 유행이면서

내 방에는 널브러진 옷이 많다
나는 그 옷들의 무덤 사이에
몸져누워 고이 파묻혔다

언젠가 다시
우리라는 철부지가 유행하는 날이 올 때까지

여름 감기

여름 감기에 걸렸다
지난봄에나 유행했다던데

미련한 것들이 목을 긁어댄다
얼마나 더 앓아야 하는 건지

나는 가끔
때늦은 봄을 산다

물웅덩이 속 풍경

새가 지저귀고 매미가 울고
자동차는 아스팔트와 맞물리고
다른 보폭으로 맞춰 걷는 발소리가 들리면

봄은 다 갔네

새삼 다시 여름이라며

물웅덩이에 신발을 담갔다가 빼면
동심원을 그리며 깨지는
풍경을 보는 취미는 여전한데

물웅덩이의 깊이
젖는 신발의 색깔

뭐하나 여전하지 않았지
물웅덩이 속 깨진 풍경조차

흐트러짐 없었다는 건 착각이었을지 몰라도
제자리로 돌아오는 것만은 사실이었는데

내 취미는 그런 괴리로부터 시작되고

여전하지 않은 것들은
기어코
비 한 방울 내리지 않는 날에도 젖어야만 했다

여름도 왔는데 올 건 안 오고

여름이 왔다

여름이 와도
초인종은 소식이 없다

온몸이 끈적이고

정수리는 따갑고

숨이 턱 막히고

괜한 열병을 의심하고

몇 번의 목욕을 거치고

채 물기가 마르지 않은 머리로

선풍기 앞에서

지난번에도 이랬던가
여름은, 미화의 계절

역시나 미화되었구나
여름이 왔어요
여름이 왔어

초인종은 여전히 소식이 없고
온 건 여름인데
하나의 이름이 떠올랐다

왜, 심장이 아려오지
여름은 네 이름이 아니잖아

선풍기 앞에
물 몇 방울 떨어졌다

이름과 미련이
처음부터 하나의 의미를 내포하고 있던 것처럼

바다의 먹이사슬

텁텁한 입안으로 물을 채워 넣었다

이따금 여름이면
회 대신 바다를 맛보자던
네가 생각났다

여름은 배탈의 계절이라며
입맛이 변한다며
계절이 계절인지라

바다에는 물고기도 있는데
네가 그리 좋아하는 날것의 맥박이 뛰는데

너는 회 없이 못 살았다
물고기는 바다 없이 못 살고
나는 너 없이 살지 못했다.

바다는 물고기의 목을 쥐고
물고기는 네 허기를 책임지고
너는 내 삶

어쩌면 우리는 먹이사슬 안에 갇혀
지독한 사랑을 하고 있어

그래서일까
내가 물을 무서워하는 건

남은 물을 입에 털어 넣었다

여전히 여름이면
회 대신 바다를 맛보자던
네가 생각난다

장마는 편지를 적신다

무자비한 비 내음이 좋다

여름이 얼마 안 남았다며
100미터 앞 낭떠러지와
또 한 번의 고비를 알리는

그러다가도 빠르게
처참히 무뎌지는 냄새

장마는 편지를 적신다

살아 숨 쉬며
젖은 종이를 말리는 일을
얼마나 더 경험할 수 있을까

두서없는 마음을 되풀이하며
눈물 자국을 지우는 일은
또 얼마나

이제는 없는 주소로
편지를 하나 보냈어

없는 길을 찾느라
자꾸만 경로를 이탈하겠지

장마는 편지를 적신다

번진 글자는 흘러가길
젖은 마음은 시가 되길

혀끝이 시리도록 맺혀있던
고백이 녹으면
그건
여름의 일부

매미로 죽는 꿈

누워있으면 항상
귀 끝에는 눈물이 맺혔지

눈물로 어항을 채워도 부족하려나

그곳에 사는 건 계절조차 잊고 사는 금붕어가 좋겠다고 생각했다

통통 부어오른 눈 속에는 어떤 작은 인간이 살지 눈물 속에 숨어 사는 기포가 그러니까 유일한 숨구멍이 전부 터지면 작은 인간은 죽고 말아

익사는 아니고 질식사

애처롭게도 울어야 숨 쉴 수 있으니까 창밖에 매미는 그런 이유였나 귓구멍에 물이 차올라 먹먹해진 소리를 듣고 있으면 매미가 된 심정으로

내가 죽는다면 매미처럼 울다가 죽겠구나
울다가 죽겠어

숨이 차서

죽겠구나 싶은 꿈을 꾸었다
귀 끝에 맺힌
눈물로 꾸는 꿈

한여름 밤의 꿈

날개가 돌지 않는 선풍기 앞에 앉았다

이제 첫 번째 버튼으로는 만족할 수 없는 더위, 매미가 떼를 지어 울고 비가 오지 않아도 좀처럼 마르지 않는 습기를 품은 날씨

끈적이는 방바닥에 주저앉아 두 번째 버튼을 눌렀다

그제야 돌아가는 날개는 최면을 걸기 시작했어. 아주 조금씩, 천천히 빨려 들어가도록. 바람을 역행하자 조금은 덜 더웠던 어떤 때를 떠올리게 했다

선풍기 앞에 앉아 외계인 목소리를 흉내 내던 소년
그리고 형을 따라 하던 그의 동생은
어디 갔지

속옷 차림으로 수박씨를 발라먹던 아이들
더는 집에 없다
자라났거나 꿈이었거나

어떤 이유로든

허전한 집에서 몸을 뉘었다
그것이 꿈 때문인지 꿈 때문인지

어떤 이유로든

다시는 오지 않겠거니

눈을 붙였다

베갯잇 침몰

덜 마른 낙엽을 주워다
그럴싸한 마음을 적는다

이미 절반은 찢겼다
손에서 떠난 것은 홀가분하다
저마다 미련을 배웅하는 방법은 달라서

죽은 풀의 냄새를 풍기며
제법 살아있는 풀 흉내를 내며
살아있다 호소하는 건지
추억이라 회상하는 건지

주마등은 자기주장이 강했다
침대에 눌어붙은 나처럼
선명히 찍힌 눈물 자국처럼

하필이면 빨래를 널어놓은 날이면
비가 왔다
베갯잇은 함부로 적시면 안 되는데
아침마다 눈물을 배웅해야 하는데

베갯잇은 젖은 인상을 구겼다
마른 비를 쏟아내며

쉽게 젖는 베갯잇은 낙엽을 희망했다

너 없는 가을에

가을은 영양실조의 계절이다
옆구리가 점점 메말라가는

잘 먹어야 큰다

살이 쪘다던 네게
늘 빼놓지 않던 말은

뭐라도 먹어야지

네가 없는 날이면
무책임의 연속이었다
입안 가득 채운 낙엽은
겨울잠을 준비하는 곰의 그것이라며

고독을 씹었다

입안에서 바스러지는
계절은 얼마나 무력한가

태양 아래 낙엽을 베고 누워
어른이 되길 빌었다

식물은 이런 침대에서도 잘만 자란다
햇빛을 먹고 비를 마시고
뭐라도 먹으면서

나는 그런다고 자라나지 않는데

식물은,
이다음에 커서 어른이 되겠지
이다음에 커서 나무가 되겠지

그럼 나는 언제
너 없이 어른이 될 수 있나

이불 밖에서 자라는 과수원

겨울이 오면
강박적으로 이불 속에 숨는다

잠자코 창밖 과수원을 지켜보겠지
손꼽아 기다리던 것들이
빨갛게 익어 탄로 날 테니 말이야

추위에 그을려 붉어진
사람들의 뺨 위로는
투명한
추억을 낯빛 없이 비춘다

나는 그것이 부끄러워 괜히
정돈된 방을 청소하고
이불 속에서 꼼지락대다가

머리만 내밀고
겨울이 익어가는 광경을 목격한다

붉어
초록 한 점 없이,
초록 한 점 없는데

그들의 초점은
흰 것 밑에 숨은 초록에

곧 눈망울에 맺혀 흐를
붉어진 뺨 위로 추억하는 초록

그렇게 겨울은 익어간다

겨울 아래 살아있는 세계

언뜻 보기에 새하얀 것은 깨끗하다

그 아래에 덮인
살아있는 것들의 이름을 떠올리지 않는다면

눈은 항상 위로 쌓인다
아래로 깔리는 법이 없다
이불을 덮고 숨어버리는 나처럼

깔린 것은 숨을 쉬어야 할 텐데
들춰보지 않으면 모른다며
질식을 강요당하는

짓밟아 선명해지는 그림이 있다
지나야 보이는 이름들

희미해지는 것에도 순서가 있어

애써 덮어도 지워지지 않는다
작은 공간 속 나처럼

숨구멍을 뚫는다

그제야 정상적인 호흡

아직 새것으로 덮기에는 일러,

희미하지만 분명히 살아있는 세계가 있어.

그 희미하고 오래된 세계에서
벗어날 수 없는 사람처럼
계속해서 발자국을 찍었다

미련으로 사는 일

추억에 빠지는 날이 잦아졌다
미련한 사람이라서

어제처럼 또렷해진 것들
꿈처럼 희미해진 것들
그렇게 아련해진 것들

오늘은 외투를 걸쳤다
너 없이는 느린
동맥의 파동은
어김없이 겨울이면 뛰는 걸 잊었으니

추억도 계절을 탄다
어떤 핑계로든

쉽지 않은 일이다

계절마다 다른 추억을 일삼는 것은
지우려 오랜 시간을 할애하는 것은
사계를 산다는 것은

고민하는 시간

분명
무엇인가 잊었는데, 잊었는데,
하면서
불과 삼십 초 전에 보았던
무의미한 화면으로 올려
다시 스크롤 하는 일의 반복

이탈한 경로를
바로잡는 과정은
돌아가는 데에서 시작했다

눈을 뭉치는 것부터 시작해서
몸통을 만들고
머리를 붙여서
작동하지도 않을
감각기관을 붙이고,

어떻게 했더라

다시 이탈하면,

시작이 잘못되었나

나는 돌아서서
불규칙한 발자국을 가늠한다
어떤 건 셋으로 보이고
어떤 건 둘로 보이고

서 있는 건 하난데
발자국은 여럿처럼 보여

겨울엔 증거가 참 쉽게 남았다

계절 하나하나 소중한 사람

계절 하나하나를 깊이 사는 사람은
날씨를 헤매는 버릇이 있다

깊이, 천천히 사는 사람은

저주를 받았어

한여름에도 눈이 내리는 줄 알고
홀로 외투를 껴입은

터지지 않기 위해
뭉쳐 내리는 비를 닮았다

그것이 장마인지 소나기인지는 알 수 없지만

자세는 움츠러들어서
오지도 않은 계절을 사는
가난한 마음 안에

버리지 않고 쌓아둔다
뱉고 쓰지 않은 것에도 쓸모가 있다며
보고 들은 것은 결국 이야기가 된다며

그렇게 쌓아둔 무게를
채 이기지 못하고
추락하는 사람

그것마저 저주였어도
추락한 자리는
어떤 문장보다도 깊은 문장이 되고

죽지 않는 추억

절대로 죽지 못하는 시간이 있다
울지 못하는 매미와
쌓이지 않는 눈

그렇게 시들어가는 날
눈을 감고 죽어가는 날

오늘은 아니야
오늘을 사는 건 적어도 오늘은 아니니까

삶을 훑고 지나간 것

내가 죽을 때까지 죽지 못하는 시간이 있다
영원의 끝자락이라도 붙잡고
매일 부풀어가는

도망친 건 나였지만,
살아있구나

죽었다고만 생각했던 시간을 다시 사는 미련한 일
다시
다시
다시.

다시, 라는 부사가 어색해질 때
하얗게 눌어붙은
눈물 자국을 보았다

그때도 도망쳤구나

하루도 죽어가는 날은 없었고
매일
다시 살아가는 삶

눈을 감았다

여전히 오늘에서 멀어지는 중이야
도망친 곳에 낙원은 없다지만
마주할 수 있는 시간이 있어

그리웠던
그리웠던
살지는 않았지만

울지 못하는 매미들
쌓이지 않는 눈

이상적인 그림은 머나먼 낙원을 연상케 하고

살아본 적 없는 향수는
자꾸만 나를 인도하고
나는 또 도망치다가,

절대로 죽지 않는 시간이 있다
살지도 못하고 멈춰버린
자꾸만 자라서 부푸는 시간이

2부

그대는 그렇게 시가 되었다

불완전한 기억

빛바랜 것은 완전할 수 없다
그런 점을 사랑했다

자른 머리카락으로

옷에 묻은
머리카락을 떼어냈다

붙잡힌 머리카락은 손 없이
이리저리 꼬리를 뻗는데

떨어지기 싫니

짓궂은 추억에 묻는다
너도 한때는 내 일부였다며

근데 이젠 가야지
이미 잘려나간 미련인데
뿌리였던 너는
거슬리는 앞머리가 됐는데

너는 미련을 먹고 살았니
너는 추억을 먹고 살았니
누가 나를 먹고산 것 아니랄까 봐

머리카락을 떼어냈다
일일이
꼬박 추억하는 것을 잊지 않았다

사진은 냉장고에 보관하세요

냉장고에서 사진을 꺼냈다

아직 차가워
상하지 않았구나

냉장고에 넣어두고 조금씩
닳지 않도록 조심히
눈 깜빡이는 것조차

상온에 두기에는 여름이라
녹아내리면 물이 되고
물은 바다가 되는데

그럼
나중에 되찾기 힘들어

실밥을 끊어내며

옷에는 그 사람만의
계절이 묻어나온다며

만지지도
듣지도
못하겠지만
옷이 옷이 아니게 된다면
허리 굽혀 이야기할까 봐

실밥 하나가 옷이 아니게 되었을 때

구부러진 모양을 생각했다

신발 굽의 높이
걸음걸이
실오라기 곡예 하며 찾아간

넌 어디에 있어?

한참을 들여다보았다

오월에 봤던 조명

요즘에는
조명으로도 바다를 흉내 내는데
네 그림자는 흉내 내지 못하는 건

떠나간 것에는
도려낸 빛 따위로 어찌할 수 없는
무언가가 있어

부딪히고 흩어지고 밀려오는
파도를 상상한다

물고기는 어떻게 파도를 거스르는 거지
물고기는 어째서 파도를 거스르는 거지

떠내려간다

바다 위 달빛은 여전하고
파도 위 별빛은 흔들리고

도려낸 빛 따위만 머무를 수 있는 곳
도려낸 빛 따위로 흉내 낼 수 있는 것

너는 헤엄치지 않았다
그대로 부유해서
조명 너머로

부딪혀 볼 생각도 없이
흩어져 볼 생각도 없이

밀려올 생각이라도 해보지
너무 멀어

헤엄치는 건 평생
닿는 건 일순
꿈인 걸 알아차리는 것은
빛보다 빨랐다

남는 건 사진밖에 없어

나는 매 순간 영원을 빈다
애석하게도 영원은 없지만

영원히 머물고 싶다

사진을 찍는다
영원은 없고
순간은 지나 과거가 되고
계절은 돌아올 테지만
변하기 마련이니

남는 건 사진밖에 없어

카메라 앞에 붙잡혀
뾰로통한 입술을 내밀던 내게
귀가 닳도록 엄마가 하던 말

나는 이제야 동의한다

이마저도 영원하지 않겠지만
영원할 것처럼 실려있다면
찰나로 평생을 추억할 수 있을까

조화 화분 향기

스무 개의 시를 지웠다
더는 쓰라리지 않은 문장들
휴지통에는 촌스러운 것투성이다

그래서
더욱 남루하고 아련한 것들
휴지통을 비운 지는 오래전

구겨진 것들 틈새에
계절별 꽃꽂이는 잊지 않았다

허파에 치명상이 되고
코를 찔러 눈물을 뽑아냈던
향수는 비었는데

휴지통은 향기를 주장한다
어린 고향의 향수는 없지만

약속의 장례식

존재했던 것들은 하나같이
돌아올 날을 기약한다
정작 돌아오는 것은 계절뿐인데

약속은 어쩌면
죽은 것이 아닐까

뜬눈으로 밤을 지새울 때면
돌아오겠다는 약속이
쓸쓸한 개인의 기다림으로
변색되지 않도록

존재했던 것들을 추모하곤 해

그래야만
떠나보낼 수 있는 것들이 있어서
앓지 않고 잠들 수 있어서

오늘 밤도 여럿
떠나보냈다

상한 사진

언제가 찍었던 사진은 더는
그 시절로 뛰어들게 하지 않는다

갓 만든 영혼 사세요

그런 날 있잖아
돌아갈 수만 있다면 영혼이라도 팔고 싶은 날

아마 영혼 수십 개는 팔았다지
수십 번 기릴 새도 없이
미련한 사람은 계속 미련해야 하니까

페이지를 찢어 씹는다
같은 시어가 반복되고
같은 의미가 반복되고
또 미련하고
또 똑같은 시
이제는 덤덤해진
종이의 맛

쑥과 마늘 욱여넣듯
종이쪼가리는 담백할 리 없지
동굴 속에서 100일을 세며
다시 영혼이 만들어지길

기도하며,

입안에 남는 건
불쾌한 이물감
활자가 돌아다닌다
치아 사이사이 충치를 연상케 하고

빨리 떼어내야지
충치는 아프니까

한데 모인 활자는 제법
문장의 형태를 하고
뱉어내면
비로소 영혼

오고 가는 말들

마른 입술로
혓바닥
몇 번
날름거리다가

언젠가 부풀렸던 허파로 내뱉은
힘없는 공기는
눈물 자국 남기기 쉬웠다

운을 떼는 일은
어째서 어려운지
입술을 떼어놓는 일은
어째서 힘겨운지

빛 한 점 용납할 줄 모르고

어둠이었다가,
어둠이었다가

빛이 투과하는
붉은 동굴을 생각했다

울컥하며
쓸데없는 단어들이 엉겨 붙어 쏟아지는
증발하지 않는 문장들

눈물보다 진한 것들이
흘러나오는
동굴 끝에는 무엇이 있지
끝에 닿는 것은 무엇이지

그것을 마저 상상하다가
아픈 심장을 쓸어내렸다

마음 좀벌레

나는 내 마음을 좀먹고 살았다
그 작은 입으로 조금씩
벌레처럼 야금야금

타들어 가는 마음의 모양새는 얼추 반듯했다

그걸 보고는
"심장이네"
네가 그랬지

허파일지 어떻게 알아
아가미일지도 모르지

나조차 자세히 들여다보지 않으면 모르는데
벌레조차 자신이 파먹는 과일이 얼마나 물러 터진 것인지 모를 텐데
다 아는 것처럼

너는 심장을 고집했다

뛰고 있는 것을 죽이는 일은
내가 아닌 다른 벌레가 맥박을 틀어막는 일은
이토록 쉬웠나

난 벌레들이 어떤 마음을 가졌는지 알아
나무가 어떤 마음을 가지고 살아가는지
없던 걸 추억하는 기분으로 평생을 죽어가는 기분을

비롯된 것으로부터

사람은 나음에서 비롯된 건지
사랑은 나음에서 비롯된 건지

그 안에서 자라난 마음은
구겨져 실없이 잡음을 흘려
존재하지도 않는 영원을 속삭이고

고동치는 버릇은 소원을 빌기 위해 존재하고
흐느끼는 버릇은 부정하기 위해 존재하면

나음은 사람에서 비롯된 건지
나음은 사랑에서 비롯된 건지

염원하는 과거는
부서질 대로 부서지고 빛바랬지만
파편은 자꾸만 흑백영화를 비춰

오래된 영화의 음성은
심장에 침전된 영원
숨 쉬면 나음이 되고

영원은 어디서 비롯된 건지
미련은 어디서 비롯된 건지

아득히 먼 곳으로 떠날 채비

잠옷으로 갈아입었다
어쩌면 우주복
어쩌면 타임머신
아득히 먼 곳으로 떠날 채비를 하고

눈을 감으면
멸종된 목소리로 나를 부른다
내 안에 유일하게 숨 쉬는 것들
불가결한 존재로

나는 목소리를 따라 걸어
그것들을 찾고 싶었는데
먹먹해지고
느슨해지고

귀의 필요가 소홀해지면
듣지 않아도 들을 수 있는 것이 있다
꿈인 것을 알지만

나는 그것들을 따라 걸어
목소리를 찾아야지
그리운 것을 마저 따라 걸어야지

기어 나온 이름들

침대에 누우면
생각이 기어 나와

머리를 내민 생각에는 이름이 없다
그 뒤로 기어 나온 건
꼬리를 문 머리

염치없게도 꼬리에 꼬리를 물고
기어 나오는 것들은
연관성이 없다
작명이 어렵다

멍하니 천장을 바라본다
이름 없는 것들은 형태를 이루더니
꾸역꾸역 네 이름을 적었어

왜지,

영문모를 이름이야
굳이 찾아온 석 자는

꿈틀거린다
살아있는 기억처럼
계속해서 바뀌는 이름들

어떤 이름은 움푹 파여있었고
어떤 이름은 보이지 않았고
어떤 이름은 선명했다
이름은 이름일 뿐이지만

오늘은 저 이름들을 꿈꿔야지
기어 나온 것들을 베고 잠이 들었다

꿈꿀 시간

그리고를 희망하는 시간
다음 문장을 기대하는 시간
눈을 감고 몸을 웅크리는 밤에

백 년 뒤에도 미련할 사람

백 년 뒤에도 사람이 살까
그때 사람들은 어제를 그리워하려나
그때도 편지를 쓰려나
아님, 이름 모를 기술을 빌려
마음을 적는 일은 겉으로
드러나지 않으려나

사람보다 먼저
멸종하는 건 시
그럼 나는 무엇을 적어야 하지

지구온난화로 망가진
애써 남긴 계절의 이름들
그 경계선을 지워 네 이름을 적어야지

백 년 뒤에도 너를 그리워해야지
백 년 뒤에도 백 년 전을 살아야지

되새김질

추억을 저녁 삼아 곱씹었다
하루도
배부르지 않은 날이 없었다

느린 소년

느려진 발걸음보다 빠르게
앞서 늘어져 가는 그림자를 보는 기분은
매번 소년의 나이에 하나를 더해
자신을 소개해야 하는 기분은

부모의 걱정이라는 품에서 자라던 소년은
이제, 부모 걱정을 등에 질 나이가 되어도
한평생 부모의 걱정에서 놓일 수 없음은

온전히
느린 소년의 몫이었다

빈 술잔

술잔을 비우는 일은
기억을 잃기 위해서라고

다들 오늘을 살아가는 건
술잔을 비울 수 있어서
그런 어른이라서 그렇다고 생각했던 때가 있었다

필름이 끊기면
영화는 그다음 장면을 비추니까

사람 사는 거, 다 똑같구나

어른이 아니어도 이해할 수 있다고 착각했다

어느 날 가슴 속에 지워진 필름 하나가 태어났을 때
착각 하나가 불현듯 눈시울을 붉혔다

방금 부정이 죽고 진실이 태어났어
동시에,
막 성장기를 끝낸 소년 하나가 죽고 아이가 태어났다

진실을 까마득하게 잊은 소년 대신
새것을 채워 넣을 일밖에 남지 않은

빈 술잔에 비친 내 얼굴이 보였다

나는 더욱 어른이 될 수 없다고 생각했다

N 번째 기록

어떤 흉터는 주름이 된다
한 줄에 일 년이다

그러면 나는
족히 백 년
보이지 않는 손금까지
아마 오백 년

하나의 손금을 따라 걸었다
손금에 깊이 파묻힌
일 년을 도굴하며
뭐하나 빠짐없이

어떤 일 년은 라면 끓이는 시간이면 족했고
어떤 일 년은 계절 하나를 앓기도 모자랐다
손금은 깊으면 깊을수록
진한 액체가 고였다

끊어진 손금은 몇 번이고
낭떠러지로 떨어지는 경험을
그리고는 항상
다른 풍경의 기록에서 눈을 뜬다

그대는 그렇게 시가 되었다

매일같이 쓰고 또 썼다
몇 음절의 이름이 닳고 닳을 때까지

지우개로 문대도 눌러쓴 자국이 남아
더는 그대를 지울 수 없을 때까지

하나의 자리가 될 때까지

그때까지

얼마나 많은 단어로 그대를 써 내려갔는가
남은 단어는 내가 알지 못하는 단어뿐이야

그대를 쓰고 그대를 읊고
그대를 불렀을 때
되살아난 멸종된 단어들
사랑이 될 줄 알았는데

문지르는 지우개
덧대는 흑연은
여전해

그대는 어째서 시로 남았나

기다리는 방법에는 시를 쓰는 방법도 있어

기다리겠다고 했다
약속을 취소할 방도는 없고
울릴 수 없는 휴대전화를 꼭 들고서
기다릴 수밖에

다행히도 날씨는 맑았다
비는 내리지 않았으니

건너편 학교 뒤로 떠밀려가는
구름의 향연을
너는 무너진다고 표현했었나

다행히도 구름은 아니었다
나는 찰나도 무너질 틈 없이 받아적었고
기다려야 했으니까

시를 쓴다는 것

시에 쏟는 것은
정성이 아니라 감정이라는 것을

매일 되새기면서도
미아처럼 헤매다 다시
문장을 고친다

마음을 쓰고
닦고
널브러뜨려
그렇게 한껏 얼룩진

사진을 문지른다
내가 아는 이름으로
설명할 수 없는 마음으로

그 마음을 해명하는 것
의미를 부여하는 것
다시 속죄하는 것
시를 쓴다는 것

너무나도 미련한 사람

시는
미련한 사람이 쓰는 거지
돌아보는 건 결국,
아쉬운 사람인 것처럼

손 뻗으면 닿을 거라 착각하고
다들

기록한다
어떤 형식으로든
닿기 위한 수단으로

글자에는 얼굴이 없다
무덤덤한 말을 이어나가고
진심은 도통 보이지 않는구나

돌아올 거라 믿고
미련 가득한 표정을 하고는

울어

마지막에는

나아가지 않는다
머무르기 위한 수단으로
젖기 시작하면
머무를 수 있는 공간에도 한계가 있어
페이지를 넘기고 다시
하나의 공간을 마련하고

넘기지 못하는 페이지 있을 텐데
다들

나는 영원을 부르짖고
너라는 객체 없이 편지를 쓴다

손 뻗는 방향은 틀어지고
젖은 종이에 눌어붙다가,

나는 누구를 그리워하는 거야?

하나의 시집이 되었을 때쯤
나는
너무나도 미련한 사람

시인이 되려나

시가 버려졌다고 생각하는 순간이 많다
수십을 고치고 단 한 번으로 지우는 일
마음이 약해져서 문장이 흐려지는 순간들

빈칸은 마음을 적기 위해 존재하는 것인데
시는 빈칸을 남기기 위해 존재하는 것인데

발이 떨어지지 않는 원고를 들고
등단하지 못하는 상상을 한다
그때의 나는 무엇을 써야 하지

언젠가 나의 시가 떳떳해지고
옆 동네 문인들과 어깨를 나란히 했을 때
고쳤던 수십마저 지우는 일로 변해있을지도 몰라
그럼,

그때의 나는 시인인가
그 시인은 무엇을 써야 하지
미련을 받아적는 습관은 여전한가

여전히 지워서 버리고
여전히 지워서 버리고

그럼 나는, 시인인가

추억팔이

손댈 수 있는 문장이 없다
손댈 필요 없는 문장이 없다

끝매듭이 없는 관계를 사고파는
죄악은 절실했다
추억은 교정을 필요로 하고

부적절한 배치는
어느 때보다도 적절했다

우리를 위해 적힌
문장은 안타깝게도
남을 위해 접히기도
꺼내어 펼쳐보기도

추억할 노릇이 못 된다
아직은 낯부끄러운 두 뼘 사이에
어쩌지,
붉어진 얼굴은

다음 문장이 손안에 꿈틀거린다
완성된 시를 마주하기 부끄럽다

미련은 늘 부끄럽다지만

여태껏 삼켜온 소년에게

곧잘 삼키는 방법을
소리 내는 방법보다도 먼저 배운 나는,
자라서는 삼킨 것들을 토해내는 일을 합니다

입천장이 까지도록
수백 번 혓바닥으로 굴렸던 마음도
누가 엿볼세라
구겨 입에 넣었던 편지도
당장 그치지 못할 울음도

어제보다 굵어진 내 손은
다시 토해내는 역할을 합니다
엄밀히 말하자면,
토해내고 다시 제 길을 찾아주는 역할을
엎질러진 것들을 주워다 정립하는 역할을

토해낸 것들은 부풀기만 하면 좋겠지만
타들어 가는 꼬리를 자르지는 못하고
폭탄처럼,

그럼 나는 길을 찾아서 걸어요
잘 돌봐야 합니다
잘 보살펴야 합니다

힘겹게 삼킨 것들을 이제야,
손쉽게 토해낸 것들을
종이 위로 두껍게 나열하여
심장을 이식하는 것

곧잘 종이 낭비를 합니다

당신이 목 뒤로 넘긴 것들은
고작, 겨우 종이 낭비를 위한 일이라서

미안해

내 시간은 거꾸로 간다

나는 지금부터
너를 찾을 거야

찾는 거야 일도 아니지

언젠가 읽었던 동화처럼
지나온 길을
뒤돌아 되밟고

언젠가 보았던 영화처럼
세상은 늙어가고
나 홀로 어려지는 여행

뿌리 없는 나무 없듯

가지를 밟고
줄기를 지나
모든 것의 기원으로

내가 영화감독이었다면
그 과정을 나열했겠지

누구도 이해하지 못할 거야

시간순은 엉망이고
절반의 장면은
제멋대로 편집된 기억이니

백 명의 관객 중
나 하나만 뭉클해지는
비운의 작품이 되겠지만

이 길에서
눈물 흘릴 수 있는 건
오직 나 하나

하나면 돼요

가장 선명한 것부터
가장 희미한 것까지
객관성을 잃지 않은

역순이 더욱 불행해 보이는 것은
누구의 탓도 아니야

그러니까,
좀 웃어 봐

시간은 약

시간이 약이라는 말이 있다

그런데 나는
시간이 지날수록
과거로 침전하고 있어

약처럼 삼켜지는 시간들
해수면 위로 납치되는 계절과 다르게

물과 함께 삼켜지는 삶

목 뒤로 넘어가는 순간
구해달라는 말은 묵살되고

시간으로 묶인
캡슐이 녹아 사라지면
나타나는 가루
들여다보면 일련의 일기장

일기장을 넘기는 것은
오른쪽에서 왼쪽으로

책장을 넘기는 손은
왼손인지 오른손인지
모른 채로

과거 들춰보기
여전히 침전하기

백색소음

잡음입니다
창문을 두드리며 손님을 연기하는 빗소리
거실에서 들려오는 수다와
뻐근한 눈에 잠시 일어나는 암전,
손가락 꺾어 만드는 뼈 소리
의자 끄는 소리
손으로 글자를 헤아리는 소리
심장이 뛰는 소리
사이에,
작게 마음이 요동치는 소리
다시 페이지를 넘기는 소리
잠기는 미련
그렇게 사라지는
잡음입니다

미련으로 엮은 시

지난 것은 돌고 돈다
계절도 유행도
심지어 감기까지도

여름 감기에 걸렸다
지난봄에나 유행했다던데

새가 지저귀고 매미가 울고
자동차는 아스팔트와 맞물리고
다른 보폭으로 맞춰 걷는 발소리가 들리면

역시나 미화되었구나
네가 생각났다

여름은 배탈의 계절이라며
입맛이 변한다며
계절이 계절인지라
처참히 무뎌지는 냄새

날개가 돌지 않는 선풍기 앞에 앉았다
저마다 미련을 배웅하는 방법은 달라서,

뭐라도 먹어야지

희미해지는 것에도 순서가 있어

애써 덮어도 지워지지 않는다
어제처럼 또렷해진 것들
꿈처럼 희미해진 것들
그렇게 아련해진 것들

불규칙한 발자국을 가늠한다
뭉쳐 내리는 비를 닮았다

매일 부풀어가는

절대로 죽지 않는 시간이 있어
빛바랜 것은 완전할 수 없다
너도 한때는 내 일부였다며

물은 바다가 되는데
넌 어디에 있어?

한참을 들여다보았다

떠내려간다

바다 위 달빛은 여전하고
파도 위 별빛은 흔들리고

찰나로 평생을 추억할 수 있을까
향수는 비었는데
존재했던 것들은 하나같이
돌아올 날을 기약한다

그런 날 있잖아

그것을 마저 상상하다가
아픈 심장을 쓸어내렸다
타들어 가는 마음의 모양새는 얼추 반듯했다

그걸 보고는
"심장이네"
네가 그랬지

그 안에서 자라난 마음은
멸종된 목소리로 나를 부른다
내 안에 유일하게 숨 쉬는 것들
불가결한 존재로

꿈틀거린다
살아있는 기억처럼
눈을 감고 몸을 웅크리는 밤에
애써 남긴 계절의 이름들
새것을 채워 넣을 일밖에 남지 않은
하나의 손금을 따라 걸었다
하나의 자리가 될 때까지

나는 찰나도 무너질 틈 없이 받아적었고
문장을 고친다

시는
미련한 사람이 쓰는 거지

수십을 고치고 단 한 번으로 지우는 일
마음이 약해져서 문장이 흐려지는 순간들
추억은 교정을 필요로 하고
곧잘 종이 낭비를 합니다

나 하나만 뭉클해지는
비운의 작품이 되겠지만
들여다보면 일련의 일기장

일기장을 넘기는 것은
오른쪽에서 왼쪽으로

다시 페이지를 넘기는 소리
잠기는 미련

그대는 그렇게 시가 되었다